PROIBIDO PARA MAIORES

Paulo Tadeu

PROIBIDO PARA MAIORES

AS MELHORES PIADAS PARA CRIANÇAS

MATRIX

Direitos em língua portuguesa para o Brasil:
Editora Urbana Ltda.
atendimento@matrixeditora.com.br
www.matrixeditora.com.br

Ilustrações:
Hiro Kawahara

Capa:
Tabata Resende

Revisão:
Adriana Parra
Rosemary C. Machado
Rita Rocha

Dados Internacionais de Catalogação na Publicação (CIP)
SINDICATO NACIONAL DOS EDITORES DE LIVROS, RJ.

Tadeu, Paulo, 1964-
Proibido para maiores : as melhores piadas para crianças /
Paulo Tadeu. - São Paulo : Matrix, 2007.

1. Anedotas - Literatura infanto-juvenil. I. Título.

07-3918.   CDD: 028.5
                                  CDU: 087.5

HA! HA! HA!

Para o
Guilherme,
que me faz
dar risadas
todos os dias.

Piadas

No parque, Joãozinho pede dinheiro à sua mãe porque queria entregá-lo a um velhinho. A mãe fica toda sensibilizada, dá o dinheiro, mas pergunta ao filho:

– Para qual velhinho você vai dar o dinheiro, meu anjo?

– Para aquele ali que está gritando: "Olha a pipoca quentinha! Olha a pipoca quentinha!".

HA! HA! HA!

Um menino foi até o sorveteiro e perguntou:

– Tem sorvete de ervilhas?

– Não.

No outro dia, o menino voltou e perguntou de novo:

– Tem sorvete de ervilhas?

– Não.

Então, o sorveteiro pensou:

"Já sei, eu vou fazer um sorvete de ervilhas para esse menino porque aí ele vai parar de me torrar a paciência".

E fez o tal sorvete. No dia seguinte, o menino voltou lá e perguntou:

– Tem sorvete de ervilhas?

– Tem.

– Eeeeeeca!

HA! HA! HA!

Joãozinho botou uma placa na porta de casa dizendo CUIDADO COM O CÃO. Aí a mãe dele viu e disse:

– Meu filho, por que você está colocando esta placa, se o nosso cão é tão pequenininho?

Joãozinho respondeu:

– Ô mãe, é por isso mesmo: pra ninguém pisar nele.

Márcio chega em casa e diz:
– Pai, tenho uma ótima notícia pra você!
– O que é? – pergunta o pai.
– Você não me prometeu uma bicicleta se eu passasse de ano?
– Sim, meu filho.
– Então se deu bem. Economizou um dinheirão!

O irmão e a irmã entraram em casa machucados. A mãe ficou preocupada e quis saber o que tinha acontecido.
A irmã falou:
– É que eu escorreguei em uma casca de banana e caí, mamãe.
A mãe perguntou:
– E você, meu filho, como se machucou?
– Eu ri do tombo dela.

A mãe de Juca estava grávida e perguntou a ele o que preferia ganhar: um irmãozinho ou uma irmãzinha.
Juca respondeu:
– Mamãe, se não for pedir muito, eu prefiro uma bicicleta.

Um garotinho liga para um consultório:
– Tem oculista aí?
– Tem sim, você quer marcar uma consulta?
– Não, só quero ajudar meu pai. Hoje de manhã ele disse que a lâmina de barbear dele estava ficando cega...

Cinema escuro. Está passando um filme. De repente, ouve-se a voz de um menininho:

– Mãe, eu perdi minha bolinha.

– Fala baixo, meu filho. Deixa acabar o filme. Quando acender a luz, a mamãe acha a sua bolinha.

– Mas eu quero minha bolinha, mãe!

– Fica quietinho, meu filho. Olha o filme!

– Manhêêê! Eu não estou achando a minha bolinha!

– A gente procura depois, meu filho.

Aí, as pessoas que estão no cinema começam a gritar:

– Silêncio!

– Tira esse menino do cinema!

– Acende a luz!

– Procura logo a bolinha desse chato, pra gente ver o filme sossegado!

Acendem a luz e todo mundo fica procurando a bolinha, mas nada de achá-la. Aí a mãe fala:

– Viu, não achamos a sua bolinha, meu filho. Todo mundo procurou.

– Não tem importância – disse o menino.

Aí, ele voltou a se sentar na poltrona, encolheu os ombros, enfiou o dedo no nariz e disse:

– Eu faço outra.

Um menino pega o telefone e liga para o açougueiro:

– Bom dia! O senhor tem cabeça de porco?

– Tenho, sim – disse o açougueiro.

– E rabo de porco, o senhor também tem?

– Sim.

– E barriga de porco?

– Claro.

– Tem cara de porco? – perguntou o menino.

– Sim.

– E pata de porco, o senhor tem?

– Sim.

– Poxa! – exclamou o menino. O senhor deve ser muito feio, hein?

O garoto pergunta para a mãe:
– Mãe, por que é que todo dia a senhora se banha, se arruma e se pinta?
E a mãe responde:
– Ah, meu filho, é pra ficar bonita.
E o garoto:
– E por que é que a senhora não fica?

– Pai, eu estava andando pelo mato e vi uma cobra, mas nem me assustei, pois sabia que ela era filhote!
– E como você sabia disso, meu filho?
– É que ela estava brincando com um chocalho!

Eram dois irmãos muito levados, um de 10 anos e outro de 8. A mãe deles já sabia que qualquer coisa errada que acontecesse na cidade em que moravam seria por culpa deles.

Um dia, ela descobriu que perto de sua casa havia um padre, com fama de disciplinar meninos levados, e mandou que o filho mais novo fosse ver o tal padre. Logo que o menino entrou na igreja, o padre perguntou:
– Minha criança, onde está Deus?
O menino ficou ali, parado, sem dizer nada.
– Onde está Deus? – repetiu o padre, em tom mais sério.
Nisso, o menino saiu correndo da igreja, foi para casa e se escondeu debaixo da cama. Ao encontrá-lo ali, o irmão mais velho perguntou:
– O que houve?
– Puxa, agora estamos mesmo encrencados! Deus sumiu e estão achando que a culpa é nossa!

Desesperado, o chefe olha para o relógio, e, já não acreditando que um funcionário chegaria a tempo de fornecer uma informação importantíssima para uma reunião, liga para o cara:

– Alô! – atende uma voz de criança, quase sussurrando.

– Alô. Seu papai está?

– Tá... – ainda sussurrando.

– Posso falar com ele?

– Não – disse a criança, bem baixinho.

Meio sem graça, o chefe tenta falar com algum outro adulto:

– E a sua mamãe? Está aí?

– Tá.

– Ela pode falar comigo?

– Não. Ela tá ocupada.

– Tem mais alguém aí?

– Tem... – sussurra.

– Quem?

– O "puliça".

Um pouco surpreso, o chefe continua:

– O que ele está fazendo aí?

– Ele? Ele tá conversando com o papai, com a mamãe e com o "bombelo"...

Ouvindo um grande barulho do outro lado da linha, o chefe pergunta assustado:

– Que barulho é esse?

– É o "licópito".

– Um helicóptero?

– É. Ele "tlosse" uma equipe de busca.

– Minha nossa! O que está acontecendo aí? – o chefe pergunta, já desesperado.

E a voz sussurra, com um risinho safado:

– Eles tão me "ploculando".

A mãe de Joãozinho está grávida. Então Joãozinho pergunta:
– Mãe, o que você tem na barriga?
– Seu irmãozinho, meu filho!
E Joãozinho diz:
– Você gosta dele?
– Tanto quanto amo você, meu filho!
– Se ama, então por que engoliu ele?

Jesus era um menino como qualquer outro. Um dia, sua mãe foi fazer bolo e descobriu que faltava fubá. Então, ela disse:
– Jesus, você pode ir comprar fubá na mercearia para mim?
Jesus falou:
– Tudo bem, mãe, mas onde é a mercearia?
E ela explicou:
– Você segue até a esquina e vai ver uma porta bem grande. Lá dentro há um caminho e, no final dele, uma mesinha com um moço, que é onde você vai pagar pelo fubá. Ah, tem também um monte de pessoas lá dentro, tá?
– Tá bom, mãe!
E lá se foi Jesus. Chegando na esquina, ele viu uma igreja e achou que fosse a mercearia.
– Tem tudo que a mamãe disse! – pensou, e entrou na igreja.
Nesse momento, o padre, que fazia um sermão, disse:
– Jesus veio para nos salvar!
Aí o menino respondeu:
– Não! Vim pra comprar fubá.

Um menino ficava em frente à igreja jogando agulhas nas formigas. Sempre que errava, ele praguejava:

— Droga, errei!

Ao ver isso, o padre foi falar com ele:

— Não faça isso, meu filho. Deus está te olhando.

Sem se importar, o menino continuou com sua brincadeira, praguejando toda vez que errava:

— Droga, errei! Droga, errei!

Revoltado, o padre disse mais uma vez:

— Menino, se continuar a fazer isso, Deus vai te castigar!

Mas o menino continuou, e o padre acabou desistindo e voltando para dentro da igreja. De repente, ouviu-se o estrondo de um trovão: CABRUM!

O padre saiu todo queimado de dentro da igreja, assustado e com o cabelo em pé:

— O que foi isso? Caiu um raio em mim!?

Então, ele e o menino escutaram uma voz bem alta, vinda do céu:

— Droga, errei!

— Minha senhora, quer me fazer o favor de pedir ao seu filho que pare de me imitar?

A mulher fala para o filho:

— Zequinha, eu já disse pra você parar de bancar o bobo!

Joãozinho folheava um antigo álbum de recordações, quando viu uma foto e foi perguntar para a mãe:

— Mãe, quem é esse homem bonitão ao seu lado?

A mãe respondeu:

— É o seu pai.

E Joãozinho disse:

— Então quem é aquele gordo careca sentado ali no sofá?

O garoto estava chorando, e o avô perguntou:
– Por que chora, Juquinha?
– Eu perdi uma moeda de 1 real que ganhei do papai.
– Toma lá 1 real. Pronto, nada de choro. Resolvido.
Pouco depois o Juquinha voltou a chorar.
– Que é isso, Juquinha? Será que perdeu o real que te dei? – perguntou o avô.
– Não, vovô. Tá aqui.
– Então, por que está chorando de novo?
– É que se eu não tivesse perdido o que o papai me deu, eu teria 2 reais agora!

Um elefante passava todos os dias por cima de um formigueiro e sempre destruía a entrada. Um dia, as formigas fizeram uma reunião e decidiram que na próxima vez em que o elefante passasse por ali elas o matariam!
No dia seguinte, elas ficaram à espera. Quando o elefante passou, elas subiram nele. O elefante se sacudiu e todas as formigas caíram, menos uma, que se agarrou ao pescoço dele.
Então, todas as que haviam caído começaram a gritar:
– Esgana ele, esgana ele!

Um tomate foi atravessar a rua com outro tomate e gritou:
– Cuidado com o carro...
(Ssssssssblush!)
– Que carro?...
(Ssssssssblush!)

A professora pergunta para o Rodrigo:

— Onde fica a América?

E o Rodrigo responde apontando no mapa. A professora, então, pergunta para o Pedro:

— Quem descobriu a América?

E Pedro responde:

— Foi o Rodrigo, professora!

A professora pergunta:

— Se eu tomar um sorvete de chocolate e três de morango, qual é o total disso?

Um aluno grita:

— Eu sei! Uma dor de garganta!

Juquinha fez uma redação em que escreveu a palavra "cabeu". A professora achou ruim e lhe deu um castigo:

— Juquinha, hoje você ficará sem recreio para escrever 50 vezes em uma folha a palavra "coube". Assim você aprenderá o correto.

Quando terminou o exercício, Juquinha viu que havia usado duas folhas. Como a professora havia mandado escrever em uma folha, ele levou uma bronca:

— Juquinha, eu mandei você escrever em uma folha e você me aparece com duas?

— Ah, professora, é que não "cabeu" em uma folha só!

A professora pergunta:

– Joãozinho, por que seu pai não veio à reunião?

– Porque ele estava com a canela quebrada, professora.

– Não é canela que se diz, é perna. E sua mãe, por que não veio?

– É que ela fez arroz-doce e aí precisou ir comprar perna para colocar nele.

A professora pergunta para o Pedro:

– Diga três partes do corpo com a letra "z".

Ele respondeu:

– "Zoio", "zovido" e "zoreia".

Aí a professora fala:

– Adivinhe a sua nota! Também começa com "z".

Ele responde:

– Ah, deve ser um "zoito".

No primeiro dia de aula, a professora passou uma lição de casa. No outro dia, ela cobrou o dever dos alunos:

– Todo mundo aqui fez a lição de casa?

Todos os alunos disseram que sim, menos o João. A professora perguntou:

– Por que você não fez sua lição de casa, João?

– Ora, professora, porque eu moro em apartamento.

A professora de Joãozinho pergunta:

– Joãozinho, em quantas partes se divide o crânio?

– Depende da pancada, professora – responde Joãozinho.

Depois que Joãozinho volta da escola, a mãe pergunta:

– Oi, meu filho. Como foi a escola hoje?

Joãozinho responde contente:

– Foi bem!

A mãe pergunta novamente:

– Que bom! Aprendeu tudo?

Joãozinho responde:

– Acho que não, mamãe, porque amanhã vou ter que ir para a escola de novo.

HA! HA! HA!

Joãozinho foi à escola. Sua professora disse:

– Joãozinho, fale uma palavra com "c".

Joãozinho respondeu:

– Vassoura.

– Mas onde está o "c"? – perguntou a professora.

– No cabo! – respondeu Joãozinho.

A professora pergunta ao Joãozinho:

— Joãozinho, sabe por que Robin Hood só roubava dos ricos?

— Ora, "fessora", essa é fácil! Ele roubava dos ricos porque os pobres não tinham dinheiro!

HA! HA! HA!

O pai do Joãozinho ficou apavorado quando o garoto lhe mostrou o boletim:

— Na minha época, as notas baixas eram punidas com uma boa surra!

E o Joãozinho responde:

— Legal, pai! Vamos pegar o professor na saída amanhã!

HA! HA! HA!

A professora tenta ensinar matemática ao Joãozinho.

— Se eu te der 4 chocolates hoje e mais 3 amanhã, você vai ficar com... com... com...

E o Joãozinho:

— Contente!

HA! HA! HA!

A professora diz para Joãozinho:

— Seu trabalho está uma porcaria!

E Joãozinho responde:

— Xiiiiii... A minha mãe não vai gostar disso.

A professora reage:

— Eu não tenho nada a ver com isso. Ninguém mandou você fazer um trabalho tão feio!

— Sabe o que é, professora? É que foi minha mãe que fez o trabalho pra mim...

A professora pergunta ao Joãozinho:
– Joãozinho, me dê três fatos que comprovem que a Terra é redonda!
Ele responde:
– Meu pai diz que é. O livro diz que é... e a senhora também!

HA! HA! HA!

O pai pergunta:
– Filho, você acha que sua professora desconfia que eu te ajudo a fazer a lição de casa?
– Acho que sim, pai. Ela até já me disse que você deveria é voltar pra escola!

HA! HA! HA!

O Joãozinho perguntou para a professora:
– Professora, você sabe a piada do viajante?
A professora respondeu:
– Não...
E o Joãozinho retrucou:
– Ah, quando ele voltar ele te conta!

HA! HA! HA!

Claudinha vai à lanchonete da escola e fala para o atendente:
– Me dá dois cachorros-quentes, um sem mostarda e o outro com.
O atendente pergunta:
– Qual deles?

No final da aula a professora pede:

– Joãozinho, amanhã me traga três frases.

– Tá bom, "fessora".

Chegando em casa, Joãozinho pede pra mãe:

– Mãe, fala uma frase!

A mãe estava brigando com o irmão de Joãozinho e responde:

– Cala a boca!

Ele anota no papel: "Cala a boca".

Algum tempo depois, ele liga a TV e está passando o filme do Batman:

– Batman, Batman, Batman.

Ele anota: "Batman, Batman, Batman".

Ele diz para a irmã:

– Fala uma frase!

Ela responde cantando uma música famosa:

– "Vou de táxi, você sabe..."

Ele anota: "Vou de táxi, você sabe..."

No outro dia, a professora pergunta:

– Joãozinho, trouxe as três frases que eu lhe pedi?

Ele responde:

– "Cala a boca!".

– Quem você está pensando que é, Joãozinho? – pergunta a professora, bem nervosa.

Ele responde:

– "Batman, Batman, Batman".

Irritada, a professora grita:

– Joãozinho, vou te levar para a diretoria!

E ele:

– "Vou de táxi, você sabe...".

HA! HA! HA!

Na sala de aula a professora fala para o Juquinha:

– Se eu digo "eu era bonita", é passado. E se eu digo "eu sou bonita", é o quê, Juquinha?

– É mentira, professora!

A professora pediu que os alunos escrevessem uma redação para o Dia das Mães. No final, deveriam colocar a frase: "Mãe só tem uma!".

Todos os alunos fizeram a redação. Uns elogiavam as mães, outros contavam alguma história, mas todos colocaram no final a frase "Mãe só tem uma!".

Faltou o Joãozinho. Aí a professora pediu para ele ler seu trabalho. Então o Joãozinho levantou-se e começou a ler:

– Tinha uma festa lá em casa e a minha mãe pediu para eu buscar duas Cocas na geladeira. Eu fui até a cozinha, abri a geladeira e falei: "Mãe, só tem uma!".

HA! HA! HA!

Joãozinho chega à escola, e a professora pergunta:

– Numa árvore havia três passarinhos. Aí deram um tiro na árvore e o tiro acertou um passarinho. Quantos ficaram?

– Ficou apenas um passarinho.

– Por que um, Joãozinho? – a professora pergunta.

– Só o que morreu... Os outros fugiram, né?

HA! HA! HA!

Um homem estava a caminho do trabalho, quando um passarinho bateu em sua moto e desmaiou.

O motoqueiro pensou: "Coitadinho! Se eu deixar ele aí, vão passar por cima dele!". E levou o passarinho para casa.

Chegando lá, colocou o passarinho numa gaiola com água e comida, mas nada de o bichinho acordar. O dono da moto foi trabalhar e algumas horas depois o passarinho acordou. Olhou para um lado, olhou para o outro e pensou: "Xiii! Matei o cara da moto e fui preso!".

Um carteiro chegou à casa da dona Filó para entregar uma carta e viu uma placa dizendo: Cuidado com o papagaio!

– Só pode ser gozação. Quem vai ter medo de um papagaio?

Então, o carteiro entrou no quintal para deixar a carta. Foi quando o papagaio gritou:

– Pega, Rex! Pega, Rex!

Duas vacas estavam conversando.

A primeira vaca disse:

– Muuuuu!

E a segunda:

– Nossa, você tirou as palavras da minha boca!

O passarinho olha triste para o alto e vê uma tartaruguinha em cima da árvore, criando coragem. De repente, ela pula, cai e começa a chorar. Nesse momento, ele chama sua esposa passarinha e diz:

– Você tem razão. Vamos ter de contar que ela é adotada.

Duas formigas se encontram na rua. Uma pergunta para a outra:

– Qual o seu nome?

– Fu.

– Só Fu?

– Não, Fumiga. E o seu?

– Ota.

– Só Ota?

– Não, Ota Fumiga.

O cara pede uma salada em um restaurante. Quando vai comer, vê uma mosca no tomate. Imediatamente, ele chama o garçom:

– Garçom! Olha só o tamanho desta mosca no meu tomate! E agora, o que eu faço?

O garçom responde:

– Fica frio... Olha só o tamanho da aranha que saiu da alface! Já, já, ela come a mosca!

Um homem foi à loja comprar um animal, e o vendedor falou:

– Chegou na hora certa, temos um papagaio especial. Se você levantar a perna esquerda dele, ele fala inglês. Se levantar a perna direita, ele fala francês.

Aí o comprador perguntou:

– E se eu levantar as duas?

O papagaio disse:

– Aí eu caio, seu idiota!

Uma professora de creche observava as crianças de sua turma desenhando. Quando chegou perto de uma menina que trabalhava intensamente, perguntou o que ela desenhava. A menina respondeu:

– Estou desenhando Deus.

A professora parou e disse:

– Mas ninguém sabe como é Deus.

Sem piscar e sem levantar os olhos de seu desenho, a menina respondeu:

– Saberão dentro de um minuto.

Um dia, uma menina estava sentada observando sua mãe lavar os pratos na cozinha. De repente, percebeu que ela tinha vários cabelos brancos em sua cabeleira escura. Ela olhou para a mãe e lhe perguntou:

– Por que você tem tantos cabelos brancos, mamãe?

A mãe respondeu:

– Bom, cada vez que você faz algo de ruim e me faz chorar ou me deixa triste, um de meus cabelos fica branco.

A menina pensou um pouco e logo disse:

– Mãe, por que TODOS os cabelos da vovó estão brancos?

Um menino de 3 anos foi com o pai ver uma ninhada de gatinhos que haviam acabado de nascer. De volta a casa, contou para a mãe que havia gatinhos e gatinhas.

– Como você soube disso? – perguntou a mãe.

– Papai os levantou e olhou por baixo – respondeu o menino. Acho que a etiqueta estava ali.

A menina pergunta para a mãe:

– Mãe, posso dar banho no gato?

A mãe responde:

– Claro que pode, filha.

Depois que a menina deu banho no gato, ela disse pra mãe:

– Mãe! O gato morreu!

– Você sabia que ele não gostava de água – disse a mãe.

A filha explicou:

– Mas não foi a água que matou o gato! Foi na hora de torcer ele!

A vizinha abre a porta e vê que é o Joãozinho. O garoto fala:

– Dona Maria, posso entrar em seu quintal?

Então, ela responde:

– Não! Deixa que eu vou. O que caiu lá desta vez?

– Minha flecha!

– Onde ela está?

– Espetada no seu gato!

A professora para o Juquinha:
– Juquinha, diga cinco alimentos que contêm leite.
– Cinco vacas, professora.

Juquinha chega perto de um homem que está consertando um rádio e pergunta:
– O senhor é o técnico que conserta telefones?
– Não, menino. Eu sou um técnico que conserta rádios.
– Mas o senhor não conserta telefones?
– Não. Eu só conserto rádios.
– Mas o senhor tem certeza de que não conserta telefones?
– É claro que eu tenho. Eu só conserto rádios.
– E telefone? Por que o senhor não conserta telefones?
O homem começa a ficar impaciente:
– Escuta aqui, ô menino. Eu sou radiotécnico e só conserto rádios.
– Mas é que me disseram que o senhor consertava telefones.
Aí, o homem perde a paciência:
– TÁ BEM, TÁ BEM. EU SOU UM RADIOTÉCNICO QUE CONSERTA TELEFONES. AGORA TÁ SATISFEITO?
– Ah, bom. Então, me diga uma coisa: e o que é que o senhor tá fazendo aí com esse rádio?

Clarinha e Mariazinha conversam.
– Minha avó mora em São Paulo. E a sua?
– A minha avó mora no aeroporto. Toda vez que minha mãe quer ver ela, a gente vai até o aeroporto e traz ela pra casa. Depois a gente leva ela de volta pra lá.

Um senhor muito bem vestido e elegante vai andando pela calçada, quando vê um garotinho tentando tocar a campainha de uma casa. O botão da campainha fica muito alto e o garoto não o alcança. O senhor se aproxima e pergunta:

– Ei, menino, posso ajudá-lo?

– Pode, sim. O senhor me ajuda a tocar a campainha?

– Claro.

O homem levanta o menino nos braços, e ele toca a campainha. Aí o garotinho diz:

– Legal! Agora, vamos correr.

A garotinha, muito exibida, mostra suas habilidades na bicicleta. Ela dá uma volta ao redor da casa e grita para o pai:

– Olha, pai: sem as mãos!

Dá outra volta.

– Olha, pai: sem os pés!

Mais outra volta e... bumba! Vai pro chão.

Aí ela diz:

– Olha, pai: sem os dentes...

Dona Maria pede que o esperto Joaquinzinho leve uma carta ao correio.

– Joaquinzinho, bote esta carta no correio. Tome aqui o dinheiro pra comprar o selo.

Dali a pouco, Joaquinzinho volta chupando um picolé.

– Ô Joaquinzinho, onde você arranjou dinheiro pra comprar esse picolé?

– É que o pessoal do correio tava distraído... aí eu botei a carta na caixa. Nem precisei comprar o selo. Aí, com o dinheiro que eu economizei, comprei o picolé.

A família toda reunida janta, e, depois de pagar a conta, o pai fala para o garçom:

– Embrulhe essa carne que sobrou que vamos levar para o cachorro.

– Oba! – gritam em coro as crianças. – Papai vai comprar um cachorro pra gente!

HA! HA! HA!

– Seu Joaquim, me dê um rolo de papel de limpar bunda.

– Não fale assim, garoto. Diga somente "um rolo de papel higiênico".

– Certo. Me dê um rolo de papel higiênico.

– Aqui está. É pra botar na conta?

– Não. É pra limpar a bunda.

HA! HA! HA!

A mãe, apavorada, fala com o filho:

– Menino, por que você engoliu o dinheiro que eu lhe dei?

– Quando a senhora me deu. A senhora me disse que era o meu lanche.

HA! HA! HA!

O pai, orgulhoso do filho, exibe-o aos amigos.

– Ele já conhece as letras do alfabeto, não é, Carlinhos?

– É – responde o Carlinhos.

– Diga pra eles qual é a primeira letra do alfabeto, Carlinhos.

– É a letra A.

– Viram? Meu garoto é um gênio! Agora, Carlinhos, diga o que vem depois da letra A.

– Depois do "a" vêm as outras letras...

A professora fala sobre higiene, limpeza, banhos e essas coisas nem sempre muito apreciadas pelas crianças. Ela chama o Juquinha e pede para ele mostrar as mãos. Ele mostra a mão esquerda, que está sujíssima. A professora aproveita a oportunidade para uma lição.

– Aposto que esta é a mão mais suja da escola.

– Perdeu, professora. Veja só a direita, como está.

HA! HA! HA!

O menino estava perdido no meio do deserto quando encontrou uma lâmpada maravilhosa. Apanhou a lâmpada e, sabendo o que tinha de fazer, esfregou-a três vezes. Como era esperado, de dentro da lâmpada saiu o gênio que lá estava havia centenas de anos.

– Pois não, meu amo e senhor – disse o gênio. – Qual o vosso pedido?

– Quero ir pra casa.

– Então, vamos – disse o gênio, pegando na mão do garoto e começando a andar.

– Não. Assim não. Eu quero chegar rápido, seu Gênio.

– Tá bem. Então vamos correr.

Mariazinha, uma garota muito levada, já havia se deitado para dormir quando percebeu que estava com sede. Mas, como estava com preguiça de se levantar, ela resolveu pedir à mãe:

– Manhêêê, me traz um copo d'água?

Era a hora da novela, e a mãe fez que não ouviu. Mariazinha insistiu:

– Manhêêê, me traz um copo d'água!

E nada. Novamente, a mãe fez que não ouviu. Mas a sede era tão grande quanto a preguiça de se levantar da cama.

– Manhêêê, me traz um copo d'água!

– Se levanta e vai beber na cozinha, Mariazinha.

Mais algum tempo e:

– Manhêêê, me traz um copo d'água...

– Ô Mariazinha, se você continuar insistindo, eu vou aí lhe dar umas palmadas.

– Mãe, quando você vier me dar umas palmadas, você me traz um copo d'água?

HA! HA! HA!

Na hora do recreio, dois garotos vão até a enfermaria da escola.

– O que houve? – pergunta a enfermeira.

– É que eu engoli uma bola de gude – responde um dos garotos.

– E você? – a enfermeira pergunta ao outro garoto.

– A bola é minha. Estou esperando por ela.

HA! HA! HA!

Professor:

– Vamos imaginar que você tem 1 real no bolso e pede ao seu pai mais 1 real. Com quantos reais você fica?

– Um real.

– Já vi que você não sabe nada sobre matemática.

– O senhor é que não sabe nada sobre o meu pai.

Todos os dias, ao sair de casa, uma senhora encontrava um garoto vendendo chicletes. Todos os dias ela parava, dava 50 centavos ao garoto, mas nunca levava a caixa de chicletes. Durante vários meses isso se repetiu; ela apenas dava o dinheiro ao garoto e não lhe falava nada. Até que um dia, depois de receber a moeda, o garoto falou pra senhora, meio encabulado:

– Tia, eu gosto muito da senhora, porque me dá esse dinheiro e nunca leva os chicletes. Mas é que desde a semana passada o preço subiu pra 1 real.

HA! HA! HA!

Professora:
– O que você vai ser quando crescer?
Joãozinho:
– Um adulto.

HA! HA! HA!

– Mãe, a sua calcinha tem furos?
– Claro que não, Juquinha.
– E como foi que você passou as pernas por ela?

HA! HA! HA!

– Pai, se eu apagar a luz, você consegue assinar o seu nome?
– Claro que sim, meu filho.
Depois de apagar a luz:
– Então assina aqui o meu boletim da escola, pai.

Joãozinho está chorando, e o avô vem consolar:
– Por que você está chorando, Joãozinho?
– Eu perdi uma nota de 1 real.
– Não chore mais. Tome aqui duas notas de 1 real.
– Buááááá!!!
– E, agora, por que você está chorando?
– Eu devia ter dito que tinha perdido uma nota de 5 reais.... buááááá...

HA! HA! HA!

– Mãe, por que o papai é careca?
– É que seu pai é muito inteligente! Ele precisa pensar bastante!
– E por que a senhora tem tanto cabelo?
– Cala a boca, menino, e continua comendo seu jantar!

HA! HA! HA!

Todo dia era aquela briga para o Paulinho estudar.
– Vai fazer a lição, menino.
E ele nada de obedecer. Mas aí teve o dia da prova, e a mãe encontrou o filho no quarto, estudando.
– Filhinho, há quanto tempo você está estudando?
– Desde que vi a senhora subindo a escada.

HA! HA! HA!

O garotinho deixa sua bicicleta na calçada e vai rezar um pouquinho na igreja em frente. Nisso, passa o enterro de uma velhinha. Quando o menino sai, descobre que tinham roubado sua bicicleta e começa a chorar.
– Não chore, criança! Afinal, ela já era bem velhinha – diz um senhor que ia passando por ali.
– É, mas as rodinhas de trás eram novinhas.

Anúncio de PRECISA-SE colocado em jornal por um menino de 10 anos:
"Desejo entrar em contato com homens que tenham terminado o curso primário em 1960 e que tenham conhecido meu pai naquela época. Objetivo: verificar se ele era tão bom aluno como diz".

HA! HA! HA!

O pai, com o boletim na mão, diz para o filho:
– É uma pena que não deem nota de coragem. Você teria nota 10 por trazer isto para casa.

HA! HA! HA!

A professora pegou Juquinha na sala de aula desenhando caricaturas de seus amiguinhos. Tomou seu caderno e disse:
– Vamos mostrar para a diretora e ver o que ela acha disso!
Chegando à sala da diretora, esta, ao olhar com atenção os desenhos, exclama com ironia:
– Muito bonito isso, não é, seu Juquinha?
Aí o Juquinha respondeu com a maior naturalidade do mundo:
– Bonito e bem desenhado. Na verdade, eu sempre soube que era um grande artista, mas a modéstia me impede de dizer. Então, prefiro que os outros vejam e digam isso; aí é mais sincero!

HA! HA! HA!

Joãozinho estava estudando geografia, e sua mãe lhe perguntou:
– Joãozinho, onde fica a Inglaterra?
Ele respondeu:
– Na página 53!

– Juquinha – argumentava a professora –, suponha que sejamos convidados para almoçar na casa de um amigo. Acabado o almoço, o que devemos dizer?

– Cadê a sobremesa?

HA! HA! HA!

– Para termos uma vida saudável, devemos nos alimentar de forma correta – dizia a professora. – Por isso, é importante saber o valor nutritivo dos alimentos. Paulinha, dê um exemplo de alimento que engorda!

– Pão, professora! – respondeu Paulinha.

– Exatamente – enfatizou a professora. – Pão é um dos alimentos que mais engordam.

– Errado, professora – gritou Zezinho lá do fundo. – O pão não engorda, e sim quem come ele!

HA! HA! HA!

A mãe chega em casa, e o filho mais novo corre para ela, e vai logo contando as novidades:

– Mãe, sabe o nosso cachorro, o Bolão? Ele passou o dia brincando dentro da lama no quintal e ficou todo lambuzado. Agora, adivinhe só o que aconteceu quando ele entrou todo sujo no seu quarto e subiu em cima de sua cama, que estava forrada com aquelas cobertas de seda branca?

HA! HA! HA!

O garoto, ao encontrar seu quarto perfeitamente limpo e arrumado, exclamou:

– Ora essa, quem andou fazendo bagunça no meu quarto?

O garotinho ia fazer sua primeira tentativa de comer azeitonas. Mas antes ele ficou observando o pai com toda a atenção. E o pai pegava as azeitonas e as comia com muito prazer. Então, o menino provou uma. O pai apanhou outra e fez uma cara de quem estava adorando as azeitonas. O menino tentou de novo. Quando o pai fez cara de satisfação ao comer mais uma azeitona, o menino começou a chorar.

– Que é, meu filho? – perguntou o pai.

– O senhor está apanhando todas as gostosas.

HA! HA! HA!

Uma mãe conversando com outra:

– Os meninos estavam tão imundos que tive de esfregar quatro deles para poder saber qual era o meu.

Às 10 horas, a professora serviu leite e biscoitos aos alunos do maternal, procurando chamar a atenção para as boas maneiras à mesa. Uma garotinha derramou o copo de leite, e a professora preparou-se para enfrentar um problema de disciplina.

– Muito bem, quando você derrama o leite em casa, que é que sua mãe faz? – perguntou.

A menina baixou os olhos para a toalha e respondeu:

– Vou te dizer: ela não fica aí parada, olhando. Ela vem e limpa.

HA! HA! HA!

Uma mulher tinha dois cachorros. Um era o Pete, e o outro, o Repete. O Pete fugiu de casa. Qual ficou?

HA! HA! HA!

E lá estava o menino segurando no rabo do gato, e o gato fazendo a maior algazarra. Chega sua mãe e diz:

– Pare de puxar o rabo desse gato, menino!

Ele, sem se alterar, responde:

– Eu não tô puxando, mãe, só tô segurando. Quem tá puxando é ele...

HA! HA! HA!

No jardim-de-infância, a professora está cercada de meninos e meninas – uma verdadeira algazarra –, até que chega junto dela um garotinho –, que vai logo dizendo:

– Professora, adivinha só o que aconteceu com o Joãozinho, o estilingue dele e os vidros da janela da secretaria?

A professora pergunta para o Joãozinho:
– O que você sabe sobre o Mar Morto?
Ele responde:
– Nada, professora!
– Como, nada?
– Eu nem sabia que ele estava doente.

A cobrinha chega em casa e pergunta para o pai:
– Papai, é verdade que somos venenosas?
– Não, minha filha! Mas por que perguntou?
E a cobrinha:
– É que acabei de morder a língua!

O sapo foi se consultar com uma cartomante. Depois de jogar as cartas, ela profetizou:
– Vejo uma moça loira, muito bonita e inteligente querendo saber tudo sobre você!
– Croac! E quando eu vou conhecer essa princesa? – perguntou o sapo.
– Semestre que vem... na aula de biologia!

O menino foi atender ao telefone a pedido de sua mãe, que estava recebendo a visita de uma velha amiga.
– Mãe, é o papai – disse bem alto o menino. – Ele quer saber se já pode vir para casa ou se a dona Mimosa fofoqueira ainda está aqui.

Um sujeito pede um frango em um restaurante de beira de estrada e logo depois chama o garçom para reclamar:

– Este frango está malpassado!

E o garçom:

– Mas como você sabe, se nem encostou nele?

– É que ele comeu todo o milho da minha salada!

Joãozinho:

– Mãe, sabia que eu sou mais esperto do que a minha professora?

A mãe pergunta:

– Por que você acha isso?

Ele responde:

– Porque eu passei de ano e minha professora ficou no mesmo!

O pai estava muito concentrado assistindo ao seu programa de televisão favorito quando o menininho, que fazia o dever de casa, se aventurou a perguntar-lhe uma coisa.

– Papai – disse ele –, onde estão os Alpes Suíços?

– Pergunte a sua mãe – respondeu o pai. – Ela é que guarda tudo.

Um pai com seu filho, ao passar em frente à jaula do leão, vê uma placa que diz: CUIDADO, LEÃO PERIGOSO. Em frente à jaula do tigre, tem outra placa que diz: CUIDADO, TIGRE PERIGOSO. Passeando um pouco mais, encontra uma placa em frente a uma jaula vazia, que avisava: CUIDADO, TINTA FRESCA.

Aí o pai, assustado, pega o filho pelo braço e sai correndo e gritando:

– Socorro, socorro, a tinta fresca fugiu!

HA! HA! HA!

Adivinhações

Por que a vaca dá leite?
R.: Porque ela não pode vender.

Um peixe caiu do 13º andar. Qual o nome dele?
R.: Aaaaaaaaaaaa...tum!

Rafaela tinha quatro irmãs: Lalá, Lelé, Lili, Loló... Qual é o nome da quinta irmã?
R.: Rafaela!

Um homem caiu de uma rocha. Qual é o nome dele?
R.: Caio Rolando da Rocha.

Quando o cachorro fica desconfiado?
R.: Quando está com a pulga atrás da orelha.

O que aconteceu com o ferro de passar roupa que caiu da mesa?
R.: Ficou passando mal.

Qual o lugar em que todos podem sentar, menos você?
R.: O seu colo.

Qual o resultado do cruzamento de uma cobra com o porco-espinho?
R.: Um rolo de arame farpado.

Se você mudar uma letra em meu nome, irá aparecer o nome do animal que é meu maior inimigo. Quem sou?
R.: Rato.

Por que o cão entrou na igreja?
R.: Porque ele era um cão pastor.

Por que o cão entrou na igreja? (2)
R.: Porque a porta estava aberta!

Por que o menino jogou o relógio pela janela?
R.: Porque ele queria ver o tempo voar.

Por que o computador foi preso?
R.: Porque ele executou um programa.

Qual o pé que é mais rápido?
R.: O pé-de-vento!

Qual o sobrenome que todo mundo tem?
R.: Costa.

Qual a semelhança entre a arrumação da casa e o samba?
R.: Em ambos mexemos com as cadeiras.

O que a fechadura disse para a chave?
R.: Vamos dar uma voltinha?

O que é um morango?
R.: É uma cereja arrepiada!

Qual é a bebida de que os marcianos mais gostam?
R.: Chá-marte.

O que está em cima de nós?
R.: O acento agudo.

O que é pior do que encontrar uma goiaba bichada?
R.: Encontrar meia goiaba bichada. A outra metade você já deve estar mastigando...

Para que se molha o pastel no leite?
R.: Para beber leite pasteurizado.

O que a esfera disse para o cubo?
R.: Deixa de ser quadrado!

Qual é o país que a gente come e a capital que a gente chupa?
R.: Peru e Lima.

Um moço, sempre que vai ao cinema, sempre se senta na última cadeira. Por quê?
R.: Porque quem ri por último ri melhor.

Qual é a doença que o pneu mais pega?
R.: Pneumonia.

Como se faz para ouvir um monte de piadas?
R.: É só carregar um saco de pintinhos nas costas.

Qual é a parte do corpo que, perdendo uma letra, fica leve?
R.: A perna. Se tirar o "r", fica pena.

Por que a manga cai do pé?
R.: Porque ela não sabe descer.

O que tem no final do infinito?
R.: A letra "o".

Quem é filho do meu pai e da minha mãe, mas não é meu irmão?
R.: Eu.

Por que o abominável homem das neves jamais ganha na loteria?
R.: Porque ele é pé-frio.

O que é que tem 5 mil olhos, 6.693 pernas e 528 bocas?
R.: Eu não sei, mas deve ser muito feio.

Qual é o lugar da casa que está sempre com pressa?
R.: O corredor.

Somos todos irmãos e moramos na mesma rua, mas não na mesma casa. Quem somos?
R.: Os botões da camisa.

Por que a Coca-Cola e a Fanta sempre se deram bem?
R.: Porque se a Fanta quebra, a Coca cola.

O que tem em dezembro que não existe em qualquer outro mês?
R.: As letras "d" e "z".

O que o canibal vegetariano come?
R.: A planta do pé e a batata da perna.

O que tem cabeça, mas não pensa?
R.: O alho.

O que mais pesa no mundo?
R.: A balança.

O que está no meio da Lua?
R.: A letra "u".

O que aconteceu na briga entre um dentista e uma manicure?
R.: Lutaram com unhas e dentes.

O que é cego, mudo e surdo, mas sempre diz a verdade?
R.: O espelho.

O que tem debaixo do tapete do hospício?
R.: Louco varrido!

O que o Batman faz para abrir a Bat-caverna?
R.: Ele bat-palma.

Onde o Batman foi com seu bat-sapato social e seu bat-blazer?
R.: A um Bat-zado!

O que o tomate foi fazer no banco?
R.: Tirar extrato.

Por que o marido da viúva não pode se casar com a cunhada?
R.: Porque ele está morto.

Por que a comida foi presa?
R.: Porque matou a fome.

E onde ela foi presa?
R.: Na cadeia alimentar.

Por que o tomate não pode ser xerife?
R.: Porque ele é pele vermelha.

São sete irmãos. Cinco têm sobrenome, e dois não. Quem são eles?
R.: Os dias da semana.

Quem fala errado: a Mônica ou o Cebolinha?
R.: A Mônica, pois o Cebolinha fala "elado".

Quem é maior: o Sol ou a Lua?
R.: A Lua, porque já pode sair à noite.

Qual a parte do corpo que mais coça?
R.: A unha.

Qual a ferramenta que já se foi?
R.: A foice.

Qual o sapato que está sempre quebrado?
R.: O tá manco.

Qual a brincadeira predileta dos tímidos?
R.: Esconde-esconde.

Qual a palavra de 7 letras que, se tirarmos 5, ficam 11?
R.: Abacaxi. Se tirarmos abaca, fica o XI, 11 em números romanos.

Qual o vinho que não tem álcool?
R.: O*vinho* de codorna.

Qual é o esporte preferido dos músicos?
R.: Lançamento de disco.

Qual é a parte do corpo que, se você tirar uma letra, fica vazia?
R.: A boca. Se tirar o "b", ela fica oca.

Qual é a pior parte do sonho e também a melhor parte do pesadelo?
R.: Quando a gente acorda.

O que é uma molécula?
R.: É uma menina muito sapécula.

Qual é a orelha em que não se pode usar cotonete?
R.: A orelha do livro.

Qual é a cor que faz muito barulho?
R.: É a cor neta.

Dois caminhões estavam voando. De repente, um caminhão parou e disse:
    – Ora, caminhão não voa. E desceu.
Mas o outro continuou voando. Por quê?
R.: Ele era um caminhão-pipa.

Por que você vai para a cama quando está com sono?
R.: Porque a cama não pode ir até você!

Por que os lápis não gostam de escrever na mão de pessoas grosseiras?
R.: Porque ficam desapontados.

Eram três homens no barco. O barco virou. Só dois molharam o cabelo. Por quê?
R.: Porque o outro era careca.

Quem é que tem boca, mas não fala?
R.: O fogão.

Como se faz para acordar em cima da hora?
R.: É só colocar o relógio embaixo do travesseiro e dormir.

Quando o relógio bate 13 vezes, que horas são?
R.: Hora de arrumar o relógio!

Você sabe quando é que o sapato ri?
R.: Quando vê graxa.

Por que o elefante não pega fogo?
R.: Porque ele é cinza.

Qual a época mais difícil para se comprar uma passagem para a Lua?
R.: Quando a Lua está cheia.

Que horas são quando o elefante senta em cima de um carro?
R.: Hora de comprar outro carro.

O que o Tarzan disse quando viu um elefante usando óculos escuros?
R.: Nada, porque ele não o reconheceu.

Por que a girafa tem o pescoço grande?
R.: Porque ela tem chulé!

Por que o elefante usa óculos vermelhos?
R.: Pra VERmelhor.

Por que o elefante usa óculos verdes?
Pra VERde perto.

Por que o elefante usa óculos marrom?
Pra ver MARROMenos.

Por que o elefante guarda a namorada na geladeira?
R.: Porque *ela é fanta.*

Você sabe uma piada suja e pesada?
R.: O elefante escorregou e caiu na lama.

O que é um elefante em cima de uma árvore?
R.: Uma árvore a menos na face da Terra.

O que são dois elefantes em cima de uma árvore?
R.: Outra árvore a menos na face da Terra.

Como o elefante faz para descer da árvore?
R.: Senta em uma folha e espera o outono chegar.

O que o elefante faz para se esconder numa plantação de morangos?
R.: Ele pinta as unhas de vermelho.

Como colocar cinco elefantes dentro de um Fusca?
R.: Dois na frente e três atrás.

Como saber se os elefantes estão no cinema?
R.: É só ver se o Fusca está estacionado à porta.

Por que o professor usava óculos escuros na sala de aula?
R.: Porque seus alunos eram brilhantes.

Duas caixas de leite atravessavam a rua. Passou um carro e atropelou as duas. Por que só uma caixa morreu?

R.: Porque o leite da outra era longa vida.

Há uma galinha chocando ovos, então, aparece um cachorro e late. Qual é a palavra que se forma?

R.: Chocolate!

Qual é a aula favorita da vaca?

R.: Múúúúúsica.

Qual é a aula preferida da cobra?

R : Hisssssssstória.

Você conhece a piada do pintinho?

R.: Piu!

Você conhece a piada do pintinho caipira?

R.: Pir!

Num aquário viviam sete peixes. Dois morreram afogados. Quantos ficaram?

R.: Ficaram sete, porque peixe não morre afogado.

Por que o elefante não bate em nenhum pássaro?

R.: Porque ele tem pena.

Qual é o bicho que não vale nada?

R.: Já-vali.

Quantos casais de animais Adão levou para a arca?

R.: Nenhum, pois a arca era de Noé.

O que o cachorro tem que a pulga não tem?

R.: O cachorro tem pulga, mas a pulga não tem cachorro.

Como a cobra salva uma pessoa de uma enchente?
R.: Dando o bote.

Se o cachorro tivesse uma religião, qual seria?
R.: Cãodomblé.

Qual o cachorro que não tem rabo?
R.: O cachorro-quente.

Quem tem sete vidas, mas não é gato?
R.: É a gata.

O que o cavalo fazia no orelhão?
R.: Passava trote!

O que o galo disse sobre o pintinho?
R.: Este meu filho tem cada piada!

Como acaba um jogo de futebol entre patos?
R.: Empatado.

O que o boi faz quando bate sol nele?
R.: Faz sombra.

Um galo estava em cima do telhado e botou um ovo. Para que lado o ovo caiu?
R.: Nenhum, porque galo não bota ovo.

O que você faria se fosse perseguido por um leão, uma girafa, um tigre e um elefante?
R.: Sairia do carrossel e procuraria outro brinquedo no parque.

O que o peixe disse para a peixa?
R.: Estou apeixonado por você!

Por que o boi baba?
R.: Porque não sabe cuspir.

Você sabe a piada do gato?
R.: Gato não pia, gato mia.

Qual é o fim da picada?
R.: Quando o mosquito vai embora.

Por que o macaco-prego não quer entrar no mar?
R.: Porque tem medo do tubarão-martelo.

O que o porco-espinho perguntou para o cacto?
R.: É você, mamãe?

Por que a galinha atravessou a rua?
R.: Para chegar do outro lado!

Sabe por que as vacas olham para o céu na Argentina?
R.: Pra ver Boinos Aires.

O que um boi sensato nunca fala?
R.: Boibagem.

Qual é o tipo de sapo que pula mais alto do que um prédio?
R.: Todos. Prédio não pula.

Qual o resultado do cruzamento de um urso com uma canguru?
R.: Uma bolsa térmica.

Dez vacas subiam uma ladeira, em fila. A primeira vaca da fila olhou para trás. Quantas vacas ela contou?
R.: Nenhuma. Vaca não sabe contar.

Um menino estava no fim de uma caverna, que tinha três saídas. Na primeira, havia abelhas assassinas. Na segunda, havia morcegos. Na terceira e última, três leões mortos de fome. Por qual das três ele saiu?

R.: Pela terceira, pois os leões já estavam mesmo mortos!

Qual é o bicho que não é caro?

R.: A barata.

O que o ratinho disse quando viu o morcego?

R.: Mamãe, um anjo!

Qual o boi que não tem chifre?

R.: O peixe-boi.

Por que o peixe está sempre com fome?

R.: Porque ele vive com água na boca.

Como um dinossauro pergunta se o outro já está arrumado para sair?

R.: Já está bronto, Sauro?

Qual é o bicho que come com o rabo?

R.: Todos, pois nenhum tira o rabo para comer!

Qual é o bicho que tem patas na cabeça?

R.: O piolho.

Sabe por que o namorado da barata é engraçado?

R.: Porque ele é um barato!

Qual é a primeira coisa que o jóquei faz quando começa a chover?

R.: Tira o cavalinho da chuva!

Quantas aves são necessárias para fazer um boi andar?
R.: Quatro patas.

Cem bois atravessaram a rua. Quarenta foram atropelados. Quantos ficaram?
R.: Ficaram os quarenta, porque eles foram atropelados.

O que acontece com uma vaca quando ela faz muito exercício?
R.: Ela fica malhada.

Como se tira leite de gato?
R.: Puxando o pires.

Uma casa tem quatro cantos, cada canto tem um gato, cada gato vê três gatos. Quantos gatos há na casa?
R.: Quatro gatos.

Um gato caiu no poço. Como ele saiu?
R.: Molhado.

Um homem ia passeando pela floresta, quando se deparou com uma pequena ponte sobre um rio. Na cabeceira da ponte tinha um aviso: PASSAGEM PARA UM SÓ PEDESTRE. AO PASSAREM DOIS, A PONTE PODE DESABAR. O homem começou a travessia da ponte sozinho, mas no meio a ponte desabou, e ele morreu afogado.
Por que a ponte caiu?
R.: Porque um homem prevenido vale por dois.

O que é?
O que é?

Que nasce no rio, vive no rio e morre
no rio, mas não está sempre molhado?
R.: O carioca.

Que o gafanhoto traz na frente e a pulga traz atrás?

R.: A sílaba "ga".

Que a banana falou para o tomate?

R.: Eu é que tiro a roupa, e você é que fica vermelho?

Que faz virar a cabeça de um homem?

R.: O pescoço.

À direita, sou um homem, facilmente acharás. Às avessas, só à noite, e nem sempre encontrarás.

R.: Raul e luar.

Que é verde e não é planta, fala e não é gente?

R.: O papagaio.

Que enche uma casa completa, mas não enche uma mão. Amarrado pelas costas, entra e sai sem ter portão.

R.: O botão.

Que nunca volta, embora nunca tenha ido?

R.: O passado.

Que se põe na mesa, parte, reparte, mas não se come?

R.: O baralho.

Que dá um pulo e se veste de noiva?

R.: A pipoca.

Que está no meio do ovo?

R.: A letra "v".

Uma casinha sem tranca e sem janela?

R.: O ovo.

Que não se come, mas é bom para se comer?

R.: O talher.

Que tem coroa, mas não é rei, tem raiz, mas não é planta?

R.: O dente.

Que entra na água e não se molha?

R.: A sombra.

Que tem cabeça, tem dente, tem barba, não é bicho nem é gente?

R.: O alho.

Que não tem olhos, mas pisca; não tem boca, mas comanda?

R.: O semáforo.

Que detestamos na praia e adoramos na panela?

R.: Caldo.

Que quanto mais seca, mais molhada fica?

R.: A toalha.

Que quanto mais a gente perde, com mais a gente fica?

R.: O sono.

Que nasce grande e morre pequeno?
R.: O lápis.

Que todos tem 2, você tem 1 e eu não tenho nenhum?
R.: a letra "o" das palavras.

Que quanto mais curto for, mais rápido é?
R.: O tempo.

Que cai de pé e corre deitado?
R.: Uma minhoca de paraquedas.

Que tem costas de ferro, barriga de pau e solta fogo?
R.: Espingarda.

Que tem na cabeça, mas não é cabelo; tem no poço, mas não é água?
R.: A letra "ç".

Que o Brasil produz, e nenhum outro país sabe fazer?
R.: Brasileiros.

Que está direito quando está torto?
R.: O anzol.

Que é surdo e mudo, mas conta tudo?
R.: O livro.

Que está sempre na nossa frente?
R.: O futuro.

Que tem bico, mas não pia; e tem asa, mas não voa?
R.: O bule.

Que fala, mas não é gente?
R.: O telefone.

Que mal entra em casa e já sai na janela?
R.: O botão.

Que quanto mais cresce, mais baixo fica?
R.: O buraco.

Que tem capa, mas não é super-homem; tem folha, mas não é árvore; tem orelha, mas não é gente?
R.: O livro.

Que tem escamas, mas não é peixe; tem coroa, mas não é rei?
R.: O abacaxi.

Que tem na água e no sal, mas não tem no tempero?
R.: A letra "a".

Que quando estamos em pé, ele está deitado; e quando estamos deitados, ele está em pé?
R.: O pé.

Que quando você vê um, sabe que são dois, mas na verdade são três?
R.: Quando uma mulher está grávida de gêmeos.

Que atravessa o rio sem se molhar?

R.: A ponte.

Que tem cheiro de minhoca e não faz barulho?

R.: "Pum" de passarinho.

Que a formiga tem maior que o boi?

R.: O nome.

O que é um pontinho...

O que é um pontinho preto dentro de um avião?
R.: Uma aeromosca.

O que é um pontinho no mato com outros pontinhos vermelhos dentro?
R.: É uma formiga com catapora.

O que é um pontinho amarelo na limusine?
R.: É um "milhonário".

O que é um pontinho verde no meio do gelo?
R.: Uma azeitona esquiando.

O que é um pontinho rosa no congelador?
R.: É um gelo fantasiado de Pantera Cor-de-Rosa.

O que é um pontinho vermelho girando no meio do mar?
R.: Um *red*moinho.

O que são quatro pontinhos marrons no canto da sala?
R.: Quatro pulgas jogando truco.

O que são vários pontinhos amarelos na parede?
R.: Fandangos alpinistas.

O que é um pontinho amarelo e quatro pontinhos azuis?
R.: É um *yellow*fante usando *blue*tinas.

O que é um pontinho rosa no estádio de luta dos Pokémons?
R.: É o invencível *pink*achu!

O que é um pontinho vermelho no meio do rio?
R.: É um jaca*red*.

O que são dois pontinhos juntos, um preto e outro vermelho?
R.: Um tomate brigando com uma pimenta-do-reino.

O que é um pontinho branco correndo no meio da mata?
R.: Uma formiga vestida de noiva atrasada para o casamento.

O que é um pontinho verde no shopping?
R.: É uma ervilha consumista.

O que é um pontinho rosa no meio do salão?
R.: É um confete de ressaca.

O que é um pontinho vermelho em uma árvore?
R.: Um morangotango.

O que é um pontinho azul no meio do mato?
R.: Uma formiga de calça *jeans*.

O que é um pontinho preto em cima de um castelo?
R.: Uma pimenta-do-reino.

O que são dois pontinhos azuis no fundo do mar?
R.: O *two*-barão.

O que é um pontinho preto no fundo da geladeira?
R.: É um gelo fantasiado de Zorro.

O que é um pontinho verde virado de cara para a parede?
R.: Uma azeitona de castigo.

E por que ela estava de castigo?
R.: Porque engoliu o caroço.

O que é um pontinho verde no meio de um monte de pontinhos amarelos?
R.: Uma ervilha visitando a lata de milho.

O que é um ponto marrom no pulmão?
R.: Uma *brown*quite.

O que são dois pontos pretos no microscópio?
R.: Uma *black*téria e um *preto*zoário.

O que é um pontinho vermelho pulando na feira?
R.: É um caqui-pererê!

O que é um pontinho verde no Pólo Sul?
R.: Um pin*green*.

O que é um pontinho verde ultrapassando um pontinho amarelo na estrada?
R.: É um volks"vagem" ultrapassando um uno"milho".

O que é um pontinho amarelo tomando sol?
R.: É um Fandangos querendo virar Baconzitos.

O que é um pontinho roxo no meio da salada?
R.: É uma ervilha prendendo a respiração.

O que são pontinhos rosa no armário?
R.: São cu*pinks*.

O que são quatro pontinhos pretos na parede?
R.: São *four*migas.

O que é um pontinho verde em cima de um pontinho amarelo?
R.: É uma ervilha de castigo, ajoelhada no milho.

O que são três pontinhos verdes no canto da sala?
R.: É uma ervilha de castigo e duas ervilhas rindo da cara dela.

O que é um pontinho verde pulando no sofá?
R.: É uma ervilha feliz que acabou de sair do castigo!

O que é um pontinho?
R.: Um asterisco que passou gel no cabelo.

O que é um pontinho branco na neve fazendo abdominal?
R.: É um abdominável homem da neve.

O que é um pontinho verde na cortina?
R.: É uma ervilha alpinista.

O que é um pontinho vermelho na TV?
R.: É a *Red* Globo.

O que é um pontinho verde numa estrada?
R.: Uma limãozine.

O que é um pontinho vermelho no fundo da piscina?
R.: Uma ervilha prendendo a respiração.

O que é um pontinho azul no céu?
R.: Um uru*blue*.

O que é um pontinho amarelo no mar?
R.: É Ruffles, a batata da onda.

O que é um pontinho prateado no dentista?
R.: Uma formiguinha de aparelho.

O que é um pontinho vermelho na porta?
R.: Um olho mágico com conjuntivite.

O que são dois pontinhos azuis no canil?
R.: Um *blue*dogue e um pit*blue*.

O que é um pontinho roxo voando no céu?

R.: É uma superuva.

O que é um pontinho verde voando no céu?

R.: É uma superuva-itália.

O que é um pontinho vermelho no fundo da privada?

R.: Um tomate com diarreia.

O que é um pontinho branco no chão?

R.: É uma formiga noiva.

,O que é um pontinho amarelo no céu?

R.: É o Pikachu saltando de paraquedas.

O que é um pontinho marrom no tapete?

R.: Um amendoim procurando uma lente de contato.

O que é um pontinho verde girando a 200 km/h?

R.: Uma perereca na centrifugação de uma máquina de lavar.

O que é uma bolinha verde descendo uma ladeira desesperadamente?

R.: Uma ervilha sem freio.

HA! HA! HA!

Cúmulos

Qual é o cúmulo da tecnologia?
R.: Construir um submarino conversível.

Qual é o cúmulo do egoísmo?
R.: Não vou contar; só eu que sei!

Qual é o cúmulo do futebol?
R.: Fazer um gol e errar no *replay*.

Qual é o cúmulo da organização?
R.: Tomar sopa de letrinhas em ordem alfabética.

Qual é o cúmulo da curiosidade?
R.: Te conto amanhã!

Qual é o cúmulo da rapidez? (1)
R.: Subir até o alto de um prédio de 20 andares pela escada, cuspir, descer e chegar na rua antes do cuspe.

Qual é o cúmulo da rapidez? (2)
R.: Correr em volta do poste e conseguir pegar você mesmo.

Qual é o cúmulo da rapidez? (3)
R.: Trancar a gaveta com a chave dentro.

Qual é o cúmulo da sorte?
R.: Ser atropelado por uma ambulância.

Qual é o cúmulo do absurdo?
R.: Passar manteiga no Pão de Açúcar.

Qual é o cúmulo do astronauta distraído?
R.: Bater a nave e dizer que foi por falta de espaço.

Qual é o cúmulo de ser baixinho?
R.: Subir na escada para amarrar o sapato.

Qual é o cúmulo da burrice? (1)
R.: Abrir o lápis para ver se saem letrinhas.

Qual é o cúmulo da burrice? (2)
R.: Espiar pelo buraco da fechadura de uma porta de vidro.

Qual é o cúmulo da burrice? (3)
R.: Dois carecas brigando por um pente.

Qual é o cúmulo da burrice? (4)
R.: Tirar par ou ímpar no espelho e só pedir ímpar!

Qual é o cúmulo da força? (1)
R.: Dobrar a esquina.

Qual é o cúmulo da força? (2)
R.: Fazer tricô com a linha do trem.

Qual é o cúmulo da amnésia?
R.: Xi... esqueci!

Qual é o cúmulo do regime?
R.: Tomar caldo de cana com adoçante.

Qual é o cúmulo do atraso no basquete?
R.: Acertar a bola na cesta e ela só cair no sábado.

Qual é o cúmulo da distração? (1)
R.: Engolir o guardanapo e limpar a boca com o bife.

Qual é o cúmulo da distração? (2)
R.: Comer o prato e deixar a comida.

Qual é o cúmulo da paciência? (1)
R.: Varrer a areia da praia.

Qual é o cúmulo da paciência? (2)
R.: Tentar tomar sopa com o garfo.

Qual é o cúmulo da paciência? (3)
R.: Contar os degraus da escada rolante.

Qual é o cúmulo da paciência? (4)
R.: Assistir a uma corrida de lesmas em câmera lenta.

Qual é o cúmulo da magreza? (1)
R.: Usar um pijama de uma listra só.

Qual é o cúmulo da magreza? (2)
R.: Deitar na agulha e se cobrir com a linha.

Qual é o cúmulo da rebeldia?
R.: Morar sozinho e fugir de casa.

Qual é a diferença?

Qual é a diferença entre o vaso sanitário e a motocicleta?
R.: A diferença é que na motocicleta você senta pra correr; no vaso sanitário, você corre pra sentar.

Qual é a diferença entre o caminhão e a galinha?
R.: É que o caminhão bota pra correr; a galinha corre pra botar.

Qual é a diferença entre a tartaruga, o navio e a família?
R.: A tartaruga tem o casco em cima e o navio tem o casco embaixo.
E a família?
R.: A família vai bem, obrigado.

Qual é a diferença entre a galinha e o vestido?
R.: A galinha bota, enquanto o vestido desbota.

Qual é a diferença entre o cavalo e o palhaço?
R.: O cavalo gosta de palha crua; o palhaço gosta de palha*assada*.

Qual é a diferença entre o rico e o pobre?
R.: É que o rico come caviar e o pobre come o que vier.

Qual é a diferença entre a mulher vaidosa e a onça?
R.: A mulher anda maquiada; a onça, pintada.

Qual é a diferença entre o carpinteiro e um bebê?
R.: O carpinteiro quer boa madeira; o bebê quer *ma*madeira.

Qual é a diferença entre o penico e a panela?
R.: Se você não sabe, nunca me convide para almoçar na sua casa...

Qual é a diferença entre o zíper e o elevador?
R.: O zíper a gente sobe para fechar; o elevador a gente fecha para subir.

Qual é a diferença entre a calça e a bota?
R.: A bota a gente calça; a calça a gente bota.

Qual é o nome do filme?

Dez meninos compraram um saquinho de balas sabor menta, subiram numa árvore e começaram a tacar as balas em todo mundo que passava pela rua. Qual o nome do filme?
R.: "Os dez manda-menta".

Um homem foi ao cinema e sentou num dálmata. Qual é o nome do filme?

R.: "Sento em um dálmata".

Um jovem médico tinha o dom de saber que o paciente ia sentir dor antes mesmo de ela surgir, então ele já receitava o remédio para a pessoa não sentir dor no futuro. Passados alguns anos, esse médico se aposentou. Qual é o nome do filme?

R.: "O Ex-termina Dor do Futuro".

O ladrão entrou em uma igreja e roubou um sino. Depois ele passou em uma padaria e colocou o sino no forno. Qual é o nome do filme?

R.: "O assa sino".

Um homem entrou em uma vidraçaria e roubou dois copos. Qual é o nome do filme?

R.: "Robo copos 2".

Uma mulher corre atrás de um cão com uma agulha. Qual é o nome do filme?

R.: "Hilda Fura-cão".

No país das pizzas, as ervilhas expulsaram os aliches. Qual é o nome do filme?

R.: "Aliches no país das más ervilhas".

Um garoto tinha um gato chamado Tido. Toda noite o Tido dormia em um cesto. Um belo dia, o garoto foi ver o gatinho e ele não estava mais lá. Qual é o nome do filme?

R.: "O cesto sem Tido".

Um homem tinha como profissão cuidar de ursos. Certo dia, ele largou a profissão. Qual é o nome do filme?

R.: "O ex-ursista".

O filho e o pai se despediram rapidamente. Qual é o nome do filme?

R.: "Tchau Pai, Tchau Filho".

Um homem aceitou um desafio de beber mil latinhas de refrigerante de uma vez. Ele tomou 999 latas e não aguentava mais. Qual é o nome do filme?

R.: "Mil São Impossível".

Era uma vez a pequena Marina, que, para fugir da rotina da fazenda onde morava, resolveu pegar seu lindo pônei e ir passear pelos campos. De repente, apareceu uma terrível manada de milhares de éguas em disparada que atropelaram a menininha. Qual é o nome do filme?

R.: "Vinte mil éguas sobre Marina".

O sujeito vai à feira e sai com uma alface escondida na sacola. Qual é o nome do filme?

R.: "Alface Oculta".

Um chiclete conheceu uma chicletinha, se casaram e tiveram vários chicletinhos. Qual é o nome do filme?

R.: "A Família Adams".

Robin vivia brigando com seu irmão caçula, que nunca reclamava de nada. Mas um dia o irmão caçula resolveu contar tudo para a mãe. Qual é o nome do filme ?

R.: "Bate, mãe, em Robin".

Um cara comeu um quilo de alho e depois escovou os dentes. Qual é o nome do filme ?

R.: "Mudança de hálito".

Numa festa de aniversário, um menino insistiu com o pai para que pegasse uma bexiga para ele estourar. Qual é o nome do filme?

R.: "Tó, estore!".

Um cachorro passou em frente ao cinema e viu muita pedra, areia e tijolo. Qual é o nome do filme que estava passando?

R.: Nenhum. O cinema estava em obras.

O que disse...

Sabe o que o Batman falou para o Homem Invisível?
R.: Há quanto tempo não te vejo!

O que um olho disse para o outro?
R.: Não olhe agora, mas tem alguma coisa cheirando entre nós.

O que um vidro falou para o outro?
R.: Estou vidrado em você.

O que um fantasma disse para o outro?
R. Ei, você acredita em gente?

O que o livro de matemática disse para o livro de português?
R.: Pare de contar historinhas que eu já estou cheio de problemas.

O que o mudo disse para o cego?
R.: Nada, porque ele é mudo.

O que o açúcar falou para o café?
R.: Quando chego perto de você, eu me derreto todo!

O que a frigideira falou para a pipoca?
R.: Eu aqui fritando, e você pulando de alegria!

O que a letra "i" falou para a letra "b"?
R.: Acho que está na hora de você fazer um regime e perder essa barriga.

O que o pires falou para a xícara?
R.: Tira essa bunda quente de cima de mim!

O que é que o pneu disse para o asfalto?
R.: Você me deixa careca.

O que o cadarço falou para o tênis?
R.: Estou amarradão em você.

O que o fósforo disse para a bomba?
R.: Você é um estouro!

O que disse o prego para o martelo?
R.: Bate devagar que eu estou com dor de cabeça...

O que a máquina de calcular disse para o contador?
R.: Pode contar comigo!

Sabe o que uma rua perguntou pra outra?
R.: Vamos nos encontrar na esquina?

Visite nosso site e conheça estes e outros lançamentos
www.matrixeditora.com.br

Bagunçado ou bem guardado?
Autores: Luiza Meyer
Esta é a divertida história de Mariana, uma menina muito esperta, que adora brincar, mas que não está nem aí para onde deixa os brinquedos.
E agora, o que a mãe da Mariana vai fazer para que ela aprenda a se organizar e aproveitar ainda mais cada momento das brincadeiras?

A Menina que Pensava que Era Feia
Autoras: Nelma Penteado e Caroline Penteado
A história de uma menina que, como muitas, pensava que não tinha nada de belo.

As 500 Melhores Coisas de Ser Mãe
Autoras: Juliana Sampaio e Laura Guimarães
Toda mulher sabe que ser mãe é algo difícil, mas que por outro lado é a experiência mais rica e intensa de sua vida. Neste livro, Juliana Sampaio e Laura Guimarães, também autoras de *Mothern – Manual da Mãe Moderna*, reúnem de uma maneira divertida e crítica as 500 melhores coisas da arte de ser mãe, sem deixar de lado a vida social e profissional de cada uma delas, levando em conta tudo que pode influenciar na educação dos filhos.

As 500 Melhores Coisas de ser Pai
Autor: Sérgio Franco
Chega um dia em que o homem deixa de ser filho e passa a ser pai. Muitas vezes, esse momento pode vir antes mesmo do nascimento de um filho: por meio do olhar apaixonado de uma mulher, ao ver nela uma futura mãe; da observação atenta e terna das crianças em um parque. Ser pai está além de apenas transmitir os genes para a posteridade. Trata-se de uma missão. Se ser pai fosse uma profissão, seria uma das mais sacrificantes, já que exige muita dedicação, nada de férias e uma grande dose de responsabilidade. Mas o sorriso de um filho é um pagamento sem igual para tamanha dedicação. Ser pai é ser amigo, irmão, mestre, pai, avô. E é para ele que *As 500 Melhores coisas de ser pai* foi feito. Este livro é um presente para quem é pai. Mesmo que ainda não tenha um filho.

MATRIX